Wyth Cân
Cân
Pedair Sioe

Wyth Cân
Pedair Sioe

Robat Arwyn

y Lolfa

Argraffiad cyntaf: 2010
Hawlfraint y casgliad: Y Lolfa Cyf., 2010

Hawlfraint y caneuon:
Y Bore Hwn: Cyhoeddiadau Sain
Dal hi'n Dynn: Y Lolfa Cyf.
Dilyn Fi: Y Lolfa Cyf.
Teimlo'r Ias (ym Mhlas Du): Y Lolfa Cyf.
Flynyddoedd yn ôl: Y Lolfa Cyf.
Dagrau'r Glaw: Y Lolfa Cyf.
Paid byth â'm gadael i: Y Lolfa Cyf.
Cana o dy galon: Cyhoeddiadau Sain

Dymuna'r cyhoeddwyr gydnabod cymorth ariannol Cyngor Llyfrau Cymru.

Rhif llyfr rhyngwladol: 978-1-84771-265-3

Cyhoeddwyd ac argraffwyd yng Nghymru gan
Y Lolfa Cyf., Talybont, Ceredigion, SY24 5HE
gwefan: www.ylolfa.com
e-bost: ylolfa@ylolfa.com
ffôn: 01970 832304
ffacs: 832782

Cynnwys

Plas Du

geiriau Hywel Gwynfryn
cerddoriaeth Robat Arwyn

crynodeb

Plasty hynafol yw Plas Du, yn llawn o weithwyr a meirw byw, sy'n trigo yn y seler, yn llechu yn y corneli, ac yn ymhyfrydu yn y tywyllwch. Perchennog a meistr y Plas yw Cadwalir – un o ddisgynyddion teulu Draciwla – gŵr digon hynaws a bonheddig. Er hynny, mae gwaed yn dewach na dŵr, ac mae'n amhosib iddo wadu'i orffennol.
Fel draenen yn ei ystlys, daw Cassandra i fygwth sefyllfa gysurus y Plas. Yn ddynes bwerus a pheryglus, rhoes ei bryd ar brynu Plas Du a'i droi yn westy gwyliau, a fiw i neb ei gwrthwynebu…

Gohebydd lleol yw Carys Puw. Daw hithau a'i chyd-weithwyr heibio'r Plas un diwrnod ar drywydd sawl stori, ac mae'n mynnu croesholi Cadwalir i ganfod y gwir. Beth yn union yw cyfrinach Plas Du a'i driglion? Beth yw bwriad Cassandra? A tybed beth fydd dyfodol Plas Du?

y caneuon

Teimlo'r Ias (ym Mhlas Du)   unawd Cadwalir
Unawd agoriadol Cadwalir, (mae'r enw yn anagram o Draciwla) pan mae'n mynegi'r gwirionedd am gefndir ei hynafiaid, a'i wewyr personol wrth sylweddoli fod "gwaed yn dewach na dŵr", a'i fod weithiau yn "teimlo'r ias ym Mhlas Du." (Mae'r lleisiau cefndir deulais yn opsiynol.)

Flynyddoedd yn ôl   unawd Cadwalir
Un diwrnod daw Carys Puw (gohebydd lleol) i Blas Du ar drywydd stori. Nid yw Cadwalir yn awyddus i neb ddod yno i holi, ac nid oes croeso i Carys a'i chwestiynau. Ond mae rhywbeth amdani wedi ei gynhyrfu, ac yn y gân 'Flynyddoedd yn ôl' mae'n cofio am ei wraig a'i ferch fach a ddiflannodd o'r plasty, un noson dywyll… "flynyddoedd yn ôl".

Dagrau'r Glaw   unawd Carys
Dyma brif unawd Carys yn y sioe, mewn golygfa lle daw wyneb yn wyneb â'i hen elyn – Cassandra. Yn y bennill gyntaf, mae'n cofio ei mam a hithau (yn ferch fach) yn dianc o Blas Du ym mherfeddion y nos, ac yn cyrraedd dinas ddieithr – yn unig,

a digartref, heb unman i droi. Yn yr ail bennill, cofia amdani ei hun yn ddeunaw oed, wedi syrthio i grafangau Cassandra a'i chyffuriau. Ond wrth wynebu Cassandra unwaith yn rhagor, daw dewrder Carys i'r golwg a thystia yn ei herbyn a chyffesu: "Fi oedd honno yn y gwter, ti oedd honno ar y stryd yn gwerthu'r cyffur gwyn…"

Paid byth â'm gadael i   deuawd Cadwalir a Carys

Erbyn diwedd y sioe, sylweddola Mr Cadwalir mai Carys yw'r ferch fach a ddiflannodd o'i fywyd flynyddoedd yn ôl, a cheir cyfle yma i'r ddau fynegi eu teimladau o ailddarganfod ei gilydd wedi'r holl amser. Felly, deuawd tad a merch yw'r gân yng nghyd-destun y sioe gerdd, ond mae modd ei chyflwyno fel deuawd serch os dymunir. Gellir hefyd ei chyflwyno fel unawd (mewn cyngerdd) wrth anwybyddu nodau'r ail lais yn y cytgan.

Teimlo'r Ias (ym Mhlas Du)

(allan o PLAS DU)

Hywel Gwynfryn

Robat Arwyn

amal, un peth sydd yn siŵr: Mae'r cw-lwm yn dynn,_ yn an-na-tod, mae

gwaed yn de-wach na dŵr._____ Plas Du._____ Mae'r

Lleisiau cefndir

Plas Du_____

e-nw yn en-nyn at-gof-ion o'r dydd-iau a fu._ Mae llei-siau 'nghyn-deid

Plas Du,

gellir mynegi'r linell yma ar lafar

ha - nes i gyd__ o dan glo,__ Yng - hudd o dan lwch y can - rif - oedd,__ yn

nwfn yn se - le - rau y co'. Mae pawb yn dweud "Mis - tar Cad - wa - lir?__ ond

tyd - io'n ga - re - dig, yn glên."__ Ond wy - ddon nhw ddim fod 'na ddia - fol, yn

lle - chu yng nghys - god y wên._____ Plas Du._____ Mae'r

Plas Du._____

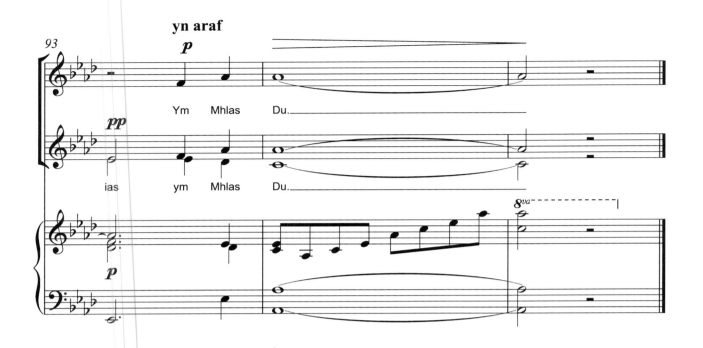

Ym   Mhlas   Du.

ias   ym   Mhlas   Du.

Flynyddoedd yn ôl

(allan o PLAS DU)

Hywel Gwynfryn

Robat Arwyn

gydag arddeliad

ny - ddoedd yn ôl.___ A he - no, pan we - lais hi,___ fe

gof - iais i___ am ddag-rau'r glaw Fly - ny-ddoedd maith___ yn ôl, Mewn

eil - iad, fe we-lais i___ he - no,___ ei hwy-neb hi,___ Y ba - ban yn___ y

siol.

26 Fly-ny-ddoedd yn ôl, ond dwi'n dal i wae-du,

29 Yn me-thu ang-hof-io, yr hun-lle o'i cho-lli. Fly-ny-ddoedd yn ôl, fe ddif-la-

32 -nodd o'm by-wyd, A'm ga-dael i a-fael mewn dim, ond y freu-ddwyd y deu-ai yn ôl.

yn arafach...

36 A siol. Rwyf am ei chof-leid-io a sib-rwd ei

Dagrau'r Glaw

(allan o PLAS DU)

Hywel Gwynfryn

Robat Arwyn

Paid byth â'm gadael i

(allan o PLAS DU)

Hywel Gwynfryn

Robat Arwyn

Cadwalir a Carys

Cadwalir
i ganu'r llais uchaf

37
Wna'i byth dy a-dael di.   Wna'i byth dy a-dael di,

40
rwy'n a-ros gy-da thi.   Fy ngwe-ddi nos a dydd, a'm gob-aith yw y

43
bydd,   Y bydd ein car-iad ni mor gry,   Wna'i ddim dy a-dael di,_____

46
Wna'i byth dy a-dael   di.   Wna'i byth dy a-dael   di,

30

Rhys a Meinir

geiriau Robin Llwyd ab Owain
cerddoriaeth Robat Arwyn

crynodeb

Chwedl enwog Rhys a Meinir o Nant Gwrtheyrn yw canolbwynt y sioe. Ganrifoedd ynghynt gosodwyd tair melltith ar y Nant: na chleddir neb yn Nant Gwrtheyrn, na phriodir neb yn Nant Gwrtheyrn, ac na fydd dyfodol i Nant Gwrtheyrn.

Roedd Rhys a Meinir yn ffrindiau mynwesol ers yn blant. Gydag amser, syrthiodd y ddau mewn cariad, a chytuno i briodi. Yn ôl trefn y cyfnod, ar fore'r briodas rhedodd Meinir i guddio, gan ddewis coeden dderwen ganghennog fel ei chuddfan. Ond 'rôl chwilio'n ddyfal, ni chafodd Rhys hyd i Meinir, ac ni fu priodas.

Un noson stormus, eisteddodd Rhys yn ei alar wrth fôn y goeden dderwen. Holltwyd honno yn ddwy wrth ei tharo gan un o'r mellt. O fewn i'r ceubren tywyll cafwyd hyd i sgerbwd Meinir yn ei gwisg briodas. Roedd erchylltra'r darganfod yn ormod iddo, a bu farw Rhys o dorcalon.

y caneuon

Y Bore Hwn   unawd Meinir
Cân serch a genir gan Meinir ar fore ei phriodas. Ynddi mae'n mynegi ei chariad at Rhys, a'r hapusrwydd sy'n deillio o wybod fod "heddiw 'di cyrraedd o'r diwedd".

Dal hi'n dynn   unawd Rhys
Ysgrifennwyd 'Dal hi'n Dynn' ar gyfer yr ail fersiwn o'r sioe. Yma mae Meinir yn sumbol o Gymru a'i thraddodiadau, a Rhys yn sylweddoli bod raid i bawb ddal gafael ar yr hyn sy'n bwysig, a sefyll fel un. "Dal hi'n dynn - pan fo'r dydd i herio ffawd, dal hi'n dynn."

Y Bore Hwn

(allan o RHYS A MEINIR)

Robin Llwyd ab Owain

Robat Arwyn

Lyrics under the vocal line:

'Rôl crwy- dro____ y-ma'c a- cw,__ 'Rôl teith-io i ben draw_ Llŷn, 'Rôl chwil-io am ryw-le i or-ffwys, Mi wn mai Rhys yw yr un. Mae hedd-iw 'di cyr-raedd o'r di-wedd, Caf fod-rwy o aur ar fy

mys.   Hwn y - dyw'r bo - re tra - gwy - ddol,   Caf

gys - god ym mreich - iau fy Rhys._____ Y bo - re hwn,   dych -

we - laf yn ôl fel co - lo - men,_____ Dych - we - laf yn syth__ i'th

gôl.   Y bo - re hwn,   dych - we - laf i'r nyth__ yn

ôl.   Un

bo - re o gar - iad di - ddi - wedd,   Un bo - re sy'n pa - ra am

byth.   Un bo - re heb gw - mwl o 'nghwm - pas,   I

nin - nau ddych - we - lyd i'r nyth._____ Y bo - re hwn,   Dych-

Dal hi'n dynn

(allan o RHYS A MEINIR)

Robin Llwyd ab Owain

Robat Arwyn

Gyda rhyddid (dim cynt na ♩ = 60)

Paid â'i go-llwng hi o'th law, fel gwnes i, Paid â gor-ffwys nes ei chael yn wraig i ti,___ Dal hi'n dynn pan ddaw y dydd, Dal hi'n dynn ym mrei-chiau ffydd, Hi yw'r iaith a'r tra-ddod-ia-dau ge-faist ti.

arafu

y bar yma gyda rhyddid
♩ = tua 63 (heb ryddid y bennill gynta)
24
p
Mi ddaw car-char a daw a - berth i - ddi hi, A daw
27
rhai i boe-ri ab-sen ar - ni'n lli.___ Dal hi'n dynn pan ddaw y nos, Dal hi'n
30
dynn ac y - na dos at dy bo - bol, A daw rhy - ddid i - ddi
32
arafu
mf gydag arddeliad
hi. Dal hi'n dynn, Pan ddaw'r dydd i her - io ffawd, dal hi'n

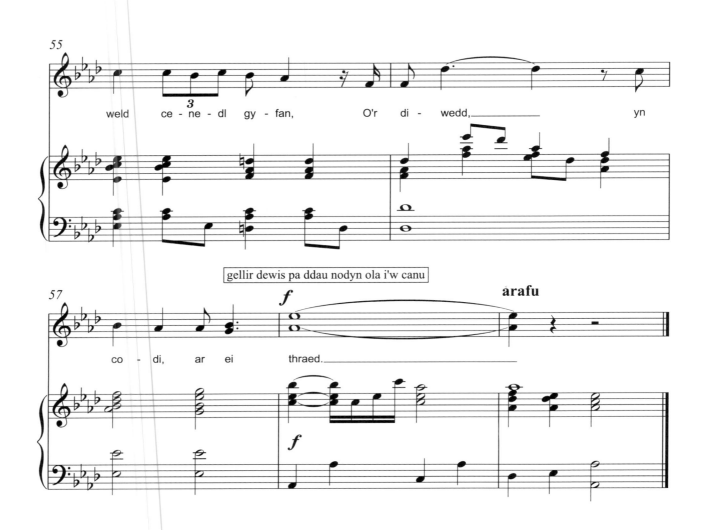

weld ce - ne - dl gy - fan, O'r di - wedd,_____ yn

gellir dewis pa ddau nodyn ola i'w canu

arafu

co - di, ar ei thraed._____

Iarlles y Ffynnon

geiriau Robin Llwyd ab Owain
cerddoriaeth Robat Arwyn

crynodeb

Mae'r sioe yn adrodd hanes Owain, un o farchogion y Brenin Arthur, sy'n ymgyrchu i achub Iarlles y Ffynnon o grafangau'r Marchog Du. Caiff Owain gymorth Luned, llawforwyn yr Iarlles, i ddianc a threchu'r Marchog, a chyn bo hir caiff ei dywys at y castell lle mae'r Iarlles yn gwarchod y Ffynnon. Syrthia Owain a'r Iarlles mewn cariad, ond daw'r Milwyr Du i herio ei awdurdod ac i fygwth y ddau. Ond ymddengys Arthur a'i osgordd i achub y dydd, a diflanna'r Milwyr Du mewn ofn. Mae'r sioe yn cloi gyda phriodas Owain a'r Iarlles, ac Owain yn cael ei ddewis yn arweinydd newydd gan drigolion y castell.

y gân

Dilyn Fi   **unawd Luned**

Er mai Luned sy'n cyflwyno'r gân o fewn y sioe, mae'r geiriau hefyd yn addas i'w canu gan fachgen.

Pan ddaw Owain i'r castell ar drywydd y Marchog Du, daw Luned ato a rhoi modrwy arbennig iddo. Wrth wisgo'r fodrwy, fe wna ei hun yn anweledig, cyflwr sy'n rhoi mantais digamsyniol iddo wrth erlid y Marchog Du. O weld Owain yn petruso cyn gwisgo'r fodrwy, dywed Luned wrtho am ymddiried ynddi – "Dilyn fi drwy ddŵr a thân mewn ffydd". Ond iddo gydnabod y fodrwy fel sumbol o gariad a daioni, fe gaiff, yn y pen draw, ei arwain at y Llys lle mae'r Iarlles yn gwarchod y Ffynnon.

Dilyn Fi

(allan o IARLLES Y FFYNNON)

Robin Llwyd ab Owain

Robat Arwyn

Yn delynegol ♩ = tua 63

Di - lyn fi drwy ddŵr a thân mewn ffydd,___ Fel dwy go -

lo - men wen yn dod o'u cell yn rhydd. Di - lyn fi o'r bo - re i'r hwyr,

Pwy bia'r gân?

geiriau Robin Llwyd ab Owain
cerddoriaeth Robat Arwyn

crynodeb

Cystadleuaeth megis y Waw Ffactor neu'r X Factor ydi stori ganolog 'Pwy bia'r gân?', lle mae pawb yn gwneud eu gorau glas i fod yn un o'r tri sy'n cyrraedd y rownd derfynol. Ac fel ym mhob sioe gerdd, mae'r triongl serch yn codi'i ben unwaith yn rhagor, a Gwenno yn methu'n lân â dewis rhwng Bobi (cymeriad swil a hoffus, ond sydd ag atal dweud wrth siarad, ond nid wrth ganu) a James (cymeriad golygus a phenderfynol, sy'n llawn ohono'i hun).

Gwenno, Bobi a James sy'n ennill cefnogaeth y beirniaid i gyrraedd y rownd derfynol, ond daw tystiolaeth i'r amlwg sy'n dangos i James lwgrwobrwyo un o'r beirniad i ennill ei le. Bobi, yn y pen draw, gaiff ei gyhoeddi yn enillydd teilwng i'r gystadleuaeth.

y gân

Cana o dy galon   **unawd Gwenno**
Pan ddarganfu Gwenno i James dwyllo ei ffordd trwy'r gystadleuaeth, sylweddola mai Bobi yw gwir eilun ei chalon, ac mae'n ei annog i ddilyn ei freuddwyd a chanu "o dy galon fel na chanodd neb erioed".

Cana o dy galon

(allan o PWY BIA'R GÂN?)

Robin Llwyd ab Owain

Robat Arwyn

Yn delynegol ♩ = 60

Ca - na o dy ga - lon___ fel na cha - nodd neb er - ioed,___ Ca - na fel e - he - dydd yn

ca - nu uwch y coed. Teim - la'r hyn ti'n ga - nu, a theim - la pob un gair. Cof -

leid - ia pob un no - dyn, a'i droi fel ol - wyn___ ffair.

Cana o dy ga - lon___ fel na cha-nodd neb er-ioed,___ Ca-na fel e-he-dydd yn

ca - nu uwch y coed. Ti bia'r gân a'i ha-law, ti bi-a'i chur-iad hi.

Ti bia haul y-fo - ry, sydd yn fy ngha-lon___ i.

Gydag angerdd

Cana o dy ga - lon___ fel na cha-nodd neb er-ioed,___ Ca-na fel e-he-dydd yn

Teimlo'r Ias (ym Mhlas Du)

O'r crud fe'm magwyd i gredu mai T'wysog y Nos oeddwn i,
A phan glywn y bleiddiast yn udo, fe fyddwn yn ateb ei chri.
Ac er i mi wadu 'ngorffennol yn amal, un peth sydd yn siŵr –
Mae'r cwlwm yn dynn, yn annatod, mae gwaed yn dewach na dŵr.

Plas Du.
Mae'r enw yn ennyn atgofion o'r dyddiau a fu.
(Plas Du)
Mae lleisiau 'nghyndeidiau i'w clywed rhwng muriau Plas Du,
Dwi'n rhan o'r gorffennol, dwi'n teimlo'r ias ym Mhlas Du.

Does neb ŵyr fy nghyfrinach, mae'r hanes i gyd o dan glo,
Ynghudd o dan y lwch y canrifoedd, yn nwfn yn selerau y co'.
Mae pawb yn dweud "Mr Cadwalir? – ond tydio'n garedig, yn glên."
Ond wyddon nhw ddim fod 'na ddiafol, yn llechu yng nghysgod y wên.

Plas Du.
Mae'r enw yn ennyn atgofion o'r dyddiau a fu,
(Plas Du)
Mae lleisiau 'nghyndeidiau i'w clywed rhwng muriau Plas Du,
Dwi'n rhan o'r gorffennol, dwi'n teimlo'r ias ym Mhlas Du.

Mae bywyd yn hunlle ar brydia,
Mae lleisiau'n fy mhen nos a dydd,
Ac mae'r ysfa yn gryf ar adega'
I weiddi – "Dwi am fod yn rhydd, yn rhydd o Blas Du."
(Mae'r enw yn ennyn atgofion o'r dyddiau a fu.)
"O Blas Du."
(Mae lleisiau'i gyndeidiau, i'w clywed rhwng muriau Plas Du.)
Dwi'n rhan o'r gorffennol, dwi'n teimlo'r ias ym Mhlas Du.
(Plas Du)
Teimlo'r ias,
(Plas Du)
Teimlo'r ias,
(Teimlo'r ias)
Ym Mhlas Du.

Flynyddoedd yn ôl

Flynyddoedd yn ôl, ond dwi'n dal i gofio,
Am ddau yn diflannu, a'r sêr yn eu gwylio.
Flynyddoedd yn ôl, roedd 'na storom yn curo,
A'r fam, efo'r fechan mewn siol i'w chysuro,
Flynyddoedd yn ôl.

A heno, pan welais hi, fe gofiais i am ddagrau'r glaw
Flynyddoedd maith yn ôl,
Mewn eiliad, fe welais i heno, ei hwyneb hi,
Y baban yn y siol.

Flynyddoedd yn ôl, ond dwi'n dal i waedu,
Yn methu anghofio, yr hunlle o'i cholli.
Flynyddoedd yn ôl, fe ddiflannodd o'm bywyd,
A'm gadael i afael mewn dim, ond y freuddwyd y deuai yn ôl.

A heno, pan welais hi, fe gofiais i am ddagrau'r glaw
Flynyddoedd maith yn ôl,
Mewn eiliad, fe welais i heno, ei hwyneb hi,
Y baban yn y siol.

Rwyf am ei chofleidio a sibrwd ei henw'n ddibaid,
Ond gwn yn fy nghalon,
Mai cadw'r gyfrinach sydd raid, sydd raid.

A heno, pan welais hi, fe gofiais i am ddagrau'r glaw
Flynyddoedd maith yn ôl,
Mewn eiliad, fe welais i heno, ei hwyneb hi,
Fe ddaeth drwy'r storm yn ôl,
Mewn eiliad, fe welais i heno, ei hwyneb hi,
Fe ddaeth drwy'r storm, yn ôl, yn ôl.

Dagrau'r Glaw

Mae 'na luniau lliw yn fflachio, ar feddalwedd cudd y cof,
Mae 'na fam a'i merch yn sefyll yn y glaw,
Ac mae'r goleuadau neon oer yn gwaedu pyllau'r stryd,
A siol y ferch yn gorwedd yn y baw.

Mae pawb yn cerdded heibio'n syth heb droi i edrych draw,
Heb falio dim na chynnig help i'r ddau.
Mae'r nos yn ddidrugaredd, ac mae'r bore'n hir yn dod,
A'r unig sŵn yw sŵn y drysau'n cau.

O dwi'n cofio'r noson honno,
Sêr yn wylo, dagrau'r glaw,
Cofio teimlo fod y daith yn ddi-ben-draw.

Gwelaf lun o wyneb gwelw, llun merch ifanc ddeunaw oed,
Llun o rywun dwi'm yn nabod erbyn hyn.
Ar ei hwyneb mae 'na greithiau, yn ei llygaid, dim ond poen,
Llygaid gwag fel pyllau du yn syllu'n syn.

Fi oedd honno yn y gwter, ti oedd honno ar y stryd,
Yn gwerthu'r cyffur gwyn, ti oedd yr un.
Ti oedd ffynnon ein gobeithion, ti y creithiau ar ein croen.
Ym mhob hunlle rydw i'n dal i weld dy lun.

O dwi'n cofio'r noson honno,
Sêr yn wylo, dagrau'r glaw,
Cofio teimlo fod y daith yn ddi-ben-draw.
W. Cofio teimlo fod y daith yn ddi-ben-draw.

Paid byth â'm gadael i

Cadwalir
Ers i ti ddod 'nôl rwy'n teimlo mor wahanol,
Yn gwybod fod dyfodol i ni 'nghyd.
Ers i ti ddod 'nôl rwy'n teimlo yn hapusach,
Gweld popeth yn gliriach yn dy gwmni di o hyd.

Paid byth â'm gadael i, rwy'n erfyn arnat ti.
Fy ngweddi nos a dydd, a'm gobaith yw y bydd,
Y bydd ein cariad ni mor gry,
O paid â'm gadael i,
Paid byth â'm gadael i.

Carys
Ers i mi ddod 'nôl does dim sydd arna'i eisiau,
Ond nerth dy freichiau'n gwasgu'n dynn.
Ers i mi ddod 'nôl rwy'n teimlo mor ddiogel,
Mae enfys ar y gorwel sy'n troi ddoe'n yfory gwyn.

Wna' i byth dy adael di, rwy'n aros gyda thi.
Fy ngweddi nos a dydd, a'm gobaith yw y bydd,
Y bydd ein cariad ni mor gry,
Wna' i ddim dy adael di, wna'i byth dy adael di.

Cadwalir a Carys
Wna' i byth dy adael di, rwy'n aros gyda thi.
Fy ngweddi nos a dydd, a'm gobaith yw y bydd,
Y bydd ein cariad ni mor gry,
Wna' i ddim dy adael di,
Wna' i byth dy adael di.

Wna' i byth dy adael di, rwy'n aros gyda thi.
Fy ngweddi nos a dydd, a'm gobaith yw y bydd,
Y bydd ein cariad ni mor gry,
Wna' i ddim dy adael di,
Wna' i byth dy adael di,
Wna' i byth dy adael di.

Y Bore Hwn

’Rôl crwydro yma ’c acw,
’Rôl teithio i ben draw Llŷn,
’Rôl chwilio am rywle i orffwys,
Mi wn mai Rhys yw yr un.
Mae heddiw ’di cyrraedd o’r diwedd,
Caf fodrwy o aur ar fy mys.
Hwn ydyw’r bore tragwyddol,
Caf gysgod ym mreichiau fy Rhys.

Y bore hwn, dychwelaf yn ôl fel colomen,
Dychwelaf yn syth i’th gôl.
Y bore hwn, dychwelaf i’r nyth yn ôl.

Un bore o gariad di-ddiwedd,
Un bore sy’n para am byth.
Un bore heb gwmwl o ’nghwmpas,
I ninnau ddychwelyd i’r nyth.

Y bore hwn, dychwelaf yn ôl fel colomen,
Dychwelaf yn syth i’th gôl.
Y bore hwn, dychwelaf i’r nyth yn ôl.
Y bore hwn, dychwelaf i’r nyth yn ôl.

Dal hi'n dynn

Paid â'i gollwng hi o'th law, fel gwnes i,
Paid â gorffwys nes ei chael yn wraig i ti,
Dal hi'n dynn pan ddaw y dydd,
Dal hi'n dynn ym mreichiau ffydd,
Hi yw'r iaith a'r traddodiadau gefaist ti.

Dal hi'n dynn.
Pan ddaw'r dydd i herio ffawd, dal hi'n dynn,
Bydd chwaer wrth chwaer a brawd wrth frawd.
Daw dydd y bydd y môr yn waed a chawn weld cenedl gyfan
O'r diwedd, yn codi ar ei thraed.

Mi ddaw carchar a daw aberth iddi hi,
A daw rhai i boeri absen arni'n lli.
Dal hi'n dynn pan ddaw y nos,
Dal hi'n dynn ac yna dos at dy bobol,
A daw rhyddid iddi hi.

Dal hi'n dynn.
Pan ddaw'r dydd i herio ffawd, dal hi'n dynn,
Bydd chwaer wrth chwaer a brawd wrth frawd.
Daw dydd y bydd y môr yn waed a chawn weld cenedl gyfan
O'r diwedd, yn codi ar ei thraed.

Paid â'i gadael hi'n rhy hwyr, fel gwnes i.
Paid â'i cholli hi yn llwyr, fel gwnes i.
Dal hi'n dynn nes daw'r awr,
Heria'r dynged, pan ddaw'r wawr.
A daw gwlad yn ôl i fynnu'i rhyddid hi.

Pan ddaw'r dydd i herio ffawd,
Bydd chwaer wrth chwaer a brawd wrth frawd.
Daw dydd y bydd y môr yn waed a chawn weld cenedl gyfan,
O'r diwedd, yn codi ar ei thraed.

Dilyn Fi

Dilyn fi drwy ddŵr a thân mewn ffydd,
Fel dwy golomen wen yn dod o'u cell yn rhydd.
Dilyn fi o'r bore i'r hwyr,
Dilyn fi yn llwyr.
Dilyn fi drwy ddŵr a thân i'r Llys,
Dilyn fi â modrwy'r Ffynnon am dy fys.

Yn y fodrwy hon, mae ffynnon cariad.
Yn y fodrwy hon mae cylch y lleuad.
Yn y fodrwy hon, y mae 'ngobeithion.
Yn y fodrwy hon y mae 'mhryderon.

Cylch diddarfod yw, heb derfyn iddo.
Cylch diddarfod yw yr haul, pan godo.
Diddarfod yw, fel cwsg ac effro.
Diddarfod yw, mae'r fodrwy ynot ti.

Dilyn fi drwy gyfoeth a thlodi,
Dilyn fi yn awr a dilyn fi yn llwyr.
Dilyn fi, i frwydr y bore,
Dilyn fi i haul yr hwyr.
Dilyn fi drwy ddŵr a thân i'r Llys,
Dilyn fi â modrwy'r Ffynnon am dy fys.

Dilyn fi drwy ddŵr a thân mewn ffydd,
Fel dwy golomen wen yn dod o'u cell yn rhydd.
Dilyn fi o'r bore i'r hwyr,
Dilyn fi yn llwyr.
Dilyn fi drwy ddŵr a thân i'r Llys,
Dilyn fi â modrwy'r Ffynnon am dy fys.
Dilyn fi â modrwy'r Ffynnon am dy fys.

Cana o dy galon

Cana o dy galon fel na chanodd neb erioed.
Cana fel ehedydd yn canu uwch y coed.
Teimla'r hyn ti'n ganu, a theimla pob un gair.
Cofleidia pob un nodyn, a'i droi fel olwyn ffair.

Ac ymhob gair ti'n ganu, ymhob un gair o'r gân,
Mae miloedd o enfysau a mil o berlau mân.
Ti bia'r gân a'i halaw, ti bia'i churiad hi.
Ti bia haul yfory, sydd yn fy nghalon i.

Cana o dy galon fel na chanodd neb erioed.
Cana fel ehedydd yn canu uwch y coed.
Ti bia'r gân a'i halaw, ti bia'i churiad hi.
Ti bia haul yfory, sydd yn fy nghalon i.

Cana o dy galon fel na chanodd neb erioed.
Cana fel ehedydd yn canu uwch y coed.
Ti bia'r gân a'i halaw, ti bia'i churiad hi.
Ti bia haul yfory, sydd yn fy nghalon i.

Ti bia haul yfory, sydd yn fy nghalon i.

Gwin Beaujolais.

Dwsin o Ganeuon Ysgafn

ROBAT ARWYN

Geiriau ROBIN LLWYD AB OWAIN

y Lolfa

£6.95

Ar Noson Oer Nadolig

11 o ganeuon Nadoligaidd

Pwyll ap Siôn   Robat Arwyn   Geraint Cynan

Meic Stevens   Caryl Parry Jones   J Eirian Jones

y Lolfa

£9.95

Am restr gyflawn o lyfrau'r Lolfa, mynnwch
gopi o'n catalog newydd, rhad
neu hwyliwch i mewn i'n gwefan

www.ylolfa.com

Ile gallwch archebu llyfrau ar lein.

TALYBONT CEREDIGION CYMRU SY24 5HE
ebost ylolfa@ylolfa.com
gwefan www.ylolfa.com
ffôn 01970 832 304
ffacs 832 782